침묵하고 있을 권리에 관한 변주들

모든 무언가는 그것을 떠받치는 '아무것도 아님'에 대한 축하다.

― 존 케이지

번역을 하거나 번역 공부를 할 때 침묵은 말만큼이나 중요하다. 이 말이 클리셰처럼 들릴지도 모르겠다. (이 말은 클리셰라고 생각한다. 나중에 클리셰에 관해 다시 얘기할 기회가 있을 것이다.) 번역자를 괴롭히는 두 가지의 침묵이 있다. 물리적 침묵과 형이상학적 침묵이다. 물리적 침묵은, 뭐랄까, 절반이 떨어져나간 이천 년 전 파피루스에 새겨진 사포의 시를 쳐다보고 있을 때 일어난다. 시의 반이 빈 허공이다. 번역자는 공백을 두거나 괄호를 치거나 문맥에 따른 추측 등의 다양한 방법으로 텍스트의 결핍을 표명하거나 심지어 수정할 수도 있으며 사포가 시의 해당 부분이 침묵할 것을 의도하지 않았으므로 그런 행위는 정당화될 수 있다. 반면에 형이상학적 침묵은 말 자체의 내부에서 일어난다. 그리고 그 취지를 정의하기가 더 어렵다. 번역자라면 누구나 한 언어가 다른 언어로 옮겨질 수 없는 지점을 알고 있다. '클리셰(cliché)'라는 단어를 예로 들어보자. '클리셰'는 프랑스어에서 빌려온 말로, '볼록 인쇄판 표면에서 인쇄본을 찍어내다'라는 뜻의 인쇄 용어인 동사 '클리셰(clicher)'의 과거분사형이다. 그게 그대로 영어로 받아들여졌는데, 한편으로는 영어 사용자들이 프랑스어 단어를 그냥 쓰는 것을 더 지적이라 느끼기 때문이고, 다른 한편으로는 그 단어에 다른 언어로는 옮겨질 수 없는 의성적(擬聲的) 기원(그 단어는 인쇄기 틀이 금속을 칠 때 나는 소리를 흉내 낸다고 여겨진다)이 있기 때문이다. 영어의 소리는 다르다. 영어는 침묵하게 된다. 이런 종류의 언어적 결정은 그저 두 언어의 이질성에 따른 조치이자 한 언어가 다른 언어의 알고리듬이 아니며 모든 단어를 일대일로 대칭시킬 수 없다는 사실에 대한 인정일 뿐이다. 하지만 이제 이 침묵 안에서 더 깊은 것, 번역 가능한 존재가 되려는 '의도'조차 없는 말을 발견한다면 어떨까? 스스로 그치는 말. 다음에 그런 예가 있다.

호메로스가 쓴 『오디세이아』 제10권에서 오디세우스가 남자들을 돼지로 둔갑시켜온 키르케라는 이름의 마녀와 막 대면하려는 참에 헤르메스 신이 나타나 마녀의 마법에 대항해서 쓰라고 약초를 준다. 그에 관한 호메로스의 묘사는 다음과 같다.

> 그렇게 얘기하면서 헤르메스가 땅에서 약초를 뽑아
> 그에게 건네주며 그 성질을 보여주었으니,
> 약초의 뿌리는 검으나 꽃은 우유와 같았다.
> 신들은 그 약초를 '몰리'라 부른다. 죽어야 하는 운명을 가진 인간이
> 그것을 캐내기는 매우 힘들다. 하지만 신들은 그런 일을 할 수 있다.
>
> (『오디세이아』 제10권 305절)

'몰리(Moly)'는 호메로스가 자기 시에서 '신들의 언어'라고 일컫는 몇몇 단어 중 하나다. 서사시에는 이런 식의 이중 이름을 가진 소수의 사람이나 사물이 있다. 언어학자들은 이런 이름들에서 호메로스의 그리스어 안에 간직된 더 오래된 인도유럽어 층의 흔적 같은 것을 보기를 좋아한다. 그게 무엇이든 간에, 호메로스는 신들의 언어를 불러낼 때 대개 지상에서 쓰는 번역어도 알려준다. 그러나 여기서는 그렇게 하지 않는다. 그는 이 단어가 침묵하기를 바란다. 여기 알파벳 네 자가 있다. 우리는 발음을 할 수는 있지만 그것을 정의하거나 소유하거나 이용할 수 없다. 우리는 길가에서 이 식물을 찾아내거나 구글을 뒤져 어디에서 살 수 있는지 알아낼 수 없다. 이 식물은 성스럽고, 그 지식은 신들의 것이며, 이 단어는 스스로 그친다. 어떤 인물, 유명한 인물은 아니지만 유심히 살펴보면 알아볼지도 모를 그런 인물의 초상이 불쑥 눈앞에 들이밀어졌는데 막상 자세히 들여다보니 얼굴이 있어야 할 자리에 흰 물감이 튀어 있는 거나 진배없는 상황이다. 호메로스는 자기 신들의 얼굴이 아니라 신들의 말에 흰 물감을 튀겼다. 이 말은 무엇을 숨기고 있을까? 우리는 절대 알지 못할 것이다. 하지만 캔버스에 묻은 얼룩은 이 곤혹스러운 존재들, 시종일관하게 인간보다 더 크거나 더 강하거나 더 똑똑하거나 더 선량하거나 더 잘생기지는 않은, 사실은 꼭대기부터 바닥까지 의인화된 클리셰들에 불과하지만 비장의 수단으로 엉뚱한 한 가지, 바로 불멸을 마련해둔 서사시의 신들에 관해 뭔가 중요한 것을 일깨워주는 역할을 하고 있음이 분명하다. 서사시의 신들은 죽지 않는 법을 안다. 'Moly'라는 번역될 수 없는 네 글자가 그 지식이 숨겨진 장소가 아니라고 누가 말할 수 있을까.

번역될 수 없는 것들에는, 변환 중에 침묵하게 되는 말에는 미칠 정도로 매력적인 무언가가 있다. 나는 잔 다르크의 재판과 유죄판결에서 이 매력적인, 그것도 미칠 듯이 매력적인 몇 가지 사례들을 탐구해보고자 한다.

잔 다르크의 역사, 특히 재판에 관한 역사적 기록은 모든 단계가 번역으로 가득 차 있다. 잔 다르크는 1430년 5월 23일에 붙잡혔다. 재판은 1431년 1월부터 5월까지 지속됐고 종교재판관의 심리와 여섯 차례의 공개 심리, 아홉 차례의 비공개 심리, 이단 선언, 번복, 번복 재판, 유죄판결이 수반되었다. 잔 다르크가 화형을 당해 죽은 날은 1431년 5월 30일이었다. 여러 달에 걸쳐 심리가 진행되는 동안 잔과 재판관들 사이에 수천 마디의 말이 오갔다. 우리는 그중 많은 부분을 어떤 형태로든 입수해서 볼 수 있다. 하지만 잔은 문맹이었다. 그녀는 재판에서 중세 프랑스어로 말했는데, 현장에서 공증인이 받아 적은 것을 나중에 재판관 중한 사람이 라틴어로 번역했다. 그 과정에서 잔의 직접적인 응답이 간접적인 연설로 치환됐고 그녀가 사용한 프랑스어 관용구들은 라틴어의 법률적 명제로 치환됐을 뿐만 아니라 유죄판결을 정당화하는 방식으로 그녀의 대답 일부가 교묘하게 위조되기까지 했다(이런 범죄적 개입은 그녀가 죽고 25년 뒤에 열린 재심에서 밝혀졌다).* 하지만 잔이 말했던 것들로부터 우리를 떼어놓는 이 겹겹이 쌓인 숱한 공식적 간격들은 잔 본인을 자신의 문장들로부터 떼어놓은 거대한 최초의 간극에서 파생된 후유증에 불과하다.

군사적으로든 도덕적으로든 잔을 이끈 모든 지침은 그녀가 '음성(voices)'이라고 부르던 것에서 나왔다. 그녀의 재판에서 모든 비난이 이 문제, '음성의 성격'에 모아졌다. 그녀는 열두 살 되던 해에 음성을 듣기 시작했다. 음성은 외부로부터 그녀에게 말을 걸었고 그녀의 생과 사를, 그녀의 군사적 승리와 혁명적 정치를, 그녀의 복장과 이단적 신앙을 지시했다. 재판이 진행되는 동안 잔의 재판관들은 거듭해서 이 핵심 쟁점을 꺼내 들었다. 그들은 음성의 내력을 알아야겠다고 주장했다. 그들은 그녀가 자신들이 이해할 수 있는 방식으로, 인식할 수 있는 종교적 묘사와 감성으로, 전통적인 논박에 말려들기 쉬운 전통적인 서사로 음성의 이름을 밝히고 형상화하고 묘사하기를 바랐다. 그들은 질문에 질문을 이어가며 십여 가지 방식으로 이런 열망에 틀을 지었다. 그들은 그녀를 찌르고 밀치고

* F. Meltzer (2001), 119-21.

몰아댔다. 잔은 그러한 심문을 경멸했고 할 수 있는 한 오래 막아내며 버텼다. 그녀는 음성에 아무 내력이 없다고 느꼈던 듯하다. 그 음성이 실제로 경험한 너무나 거대하고 생생한 것이었기에 그녀의 내부에서는 일종의 감각된 추상 관념으로, 버지니아 울프가 언젠가 "무언가가 되기 전에 신경에 가해지는 충격"*이라 했던 그것으로 굳어졌던 듯하다. 잔은 신경을 건드리던 그 귀에 거슬리는 소리를 신학적 클리셰로 번역하지 않고서 전달하고 싶어했다. 내가 그녀에게 끌리는 이유가 바로 클리셰에 대한 그녀의 분노 때문이다. 그녀의 분노에는 어떤 비범한 재능이 있다. 우리는 모두 언젠가 어느 정도는 이 분노를 느낀다. 이 분노에 대한 비범한 대답은 재앙이다.

내가 재앙이 하나의 대답이라 말한 이유는 클리셰가 하나의 질문이라 믿기 때문이다. 우리가 클리셰에 의존하는 이유는 뭔가 새로운 것을 고안해내기보다 그 편이 쉽기 때문이다. 거기에 내포되어 있는 건 질문이다. 우리가 이걸 어떻게 생각하는지는 이미 알지 않아? 이것에 대해서는 우리가 쓰는 공식이 이미 있지 않아? 진짜 그림을 그리느라 애쓰느니 그냥 온라인 카드를 보내거나 비슷한 사진을 찾아서 포토숍 하면 안 돼? 재판이 진행되는 다섯 달 동안 잔은 완고하게 '음성'이라는 용어를 선택하여 신이 어떻게 지침을 주었는지를 설명했다. 그녀는 자발적으로는 음성에 육체가, 얼굴이, 이름이, 냄새가, 온기나 기분이 있다고 주장하지 않았고, 음성이 문을 통해 방으로 들어온다거나 그 소리가 떠났을 때 자신이 슬픈 감정을 느꼈다고 주장하지도 않았다. 심문관들의 냉혹한 재촉을 받으면서 그녀는 점차 그런 온갖 세세한 사항들을 덧붙이게 되었다. 하지만 그녀가 이야기를 꾸며내는 짓을 혐오한 것은 분명했으며, 그녀는 다음과 같은 응답을 하면서 할 수 있는 곳마다 흰 물감을 던져댔다.

　… 그건 전에도 물어봤잖아. 기록을 찾아봐.
　… 다음 질문으로 넘어가, 사람 좀 살려줘.
　… 전에는 알았는데 잊어버렸어.
　… 그건 당신네 과정과 아무 상관 없어.
　… 질문은 다음 토요일에.

* V. Woolf (1927), 193.

그러다 어느 날 재판관들이 음성이 단수인지 복수인지 정의하라고 압박하자 그녀는 더없이 놀랍게도 (그 문제에 대한 일종의 요약으로서) 이렇게 말한다.

 '빛은 음성의 이름으로 온다.'

"빛은 음성의 이름으로 온다"는 스스로 그치는 문장이다. 구성 요소들은 단순하지만 낯선 채로 남고, 우리는 문장을 소유할 수 없다. 호메로스의 번역될 수 없는 '몰리'처럼 이 문장도 어딘가 다른 데서 온 느낌인 데다 언뜻 풍기는 불멸의 향기를 품고 있다. 잔의 사례에서 우리는 그 향기가 그녀 자신이 불타는 냄새로 밝혀질 것임을 안다. 좀 덜 긴박하면서도 앞 사례에 못지않게 클리셰에 대한 분노로 추동되는 다른 번역 탈선 사례로 넘어가보자. 이 사례에서는 번역자 자신이 클리셰에 대한 분노를 일러 "나는 공포보다는 비명을 그리고 싶다"*라고 말했다. 여러분은 이것이 그 유명한 비명 지르는 교황의 초상화 시리즈(벨라스케스가 그린 〈교황 인노켄티우스 10세 초상화〉를 변주한 그림들)[1]를 언급하며 화가 프랜시스 베이컨이 한 말임을 알아차렸을 것이다.

지금 돌이켜보면 프랜시스 베이컨은 작품 활동을 하는 내내 반복적으로 자신을 심문의 대상으로 내주었던 인물이다. 가장 주목할 만한 것으로는 『사실의 잔인함(The Brutality of Fact)』[2]이라는 제목의 책으로 출간된, 미술비평가 데이비드 실베스터와 했던 일련의 인터뷰가 있다. '사실의 잔인함'은 자신이 그림에서 추구하는 바라고 직접 한 말이다. 그는 구상화가다. 그의 화재(畫材)는 새, 개, 풀, 사람, 모래, 물, 자기 자신이고 그가 화재에서 포착하고자 하는 바는 (그의 말로는) '실재' 또는 (한때 그가 쓰던 용어로는) '본질' 또는 (종종) '사실들'이다. 그가 '사실들'이라는 단어로 의미하는 것은 사진처럼 화재의 복제본을 만든다기보다는 우리 신경계에 화재와 동일한 감각을 직접 번역해줄 어떤 감각적인 형태를 창조한다는 것이다. 그는 분출하는 물줄기의 감각을, 신경에 가해지는 충격을 그리고자 한다. 다른 건 모두 클리셰다. 다른 건 모두 성 미카엘이나 성 마거릿이나 성 카타리나가 천 명의 천사들에 둘러싸인 채 문으로 들어오자 달콤한 향기가 방을 채웠다는 천편일률적인 옛날이야기일 뿐이다. 그는 그런 온갖 서사만들기를, 그런 온갖 묘사를 미워하고, 서사 만들기의 지루함을 비껴가거나 무

* D. Sylvester (1987), 48.

너뜨릴 수만 있다면 화면을 스펀지로 뭉개거나 물감을 뿌리는 걸 포함하여 무슨 짓이든 할 것이다.

프랜시스 베이컨이 물감을 수단으로 우리 신경계에 하고 싶은 일을 설명하면서 번역의 은유를 유발하지는 않지만, 이따금 글자 그대로 침묵에 다다르는 때가 있다. 대담자에게 이런 말을 할 때처럼 말이다. "이것이 우리가 그림에 관한 애기로는 절대 짚을 수 없는 지점이라는 거 아실 겁니다. 이건 과정 안에 있어요."* 잔 다르크가 재판관들에게 "그건 당신네 과정과 아무 상관 없어"라고 말할 때처럼, 이 진술에서 그는 번역될 수 없는 것들의 영토를 요구하고 있다. 두 가지 다른 의미의 '과정'이지만 둘 다 비현실적인 것을 요구하는 권위를 향해 과장되게 어깨를 으쓱거려 보이는 동작이다. 우리는 이 분노가 잔의 공적 생활을 비롯한 군사적 무모함과 남성용 의복을 입기로 한 선택, 이교 포기 선언, 이교 복귀 선언, 재판관들에게 "불을 붙여라!"라고 명령한 전설적인 최후진술을 만들어냈음을 감지할 수 있다. 침묵하고 있을 수 있었더라면 잔은 불 속에서 생을 마감하지 않았으리라. 하지만 심문관들의 방법은 그녀가 말한 모든 것을 자신들의 라틴어와 자신들의 표현법으로 포착할 수 있는 열두 가지 죄목으로 축소하는 것이었다. 말하자면, 그녀에 관한 자신들의 이야기를 진실로 굳히는 것이었다.† 그녀 앞에서 죄목들이 낭독되었다. 그녀는 각각의 항목에 '예, 인정합니다' 또는 '아니요, 인정하지 않습니다'라고 대답해야 했다. 예 또는 아니요라는 답을 요구하는 질문은 스스로 그치는 말을 허락하지 않는다. 번역불가성은 불법이다.

하지만 프랜시스 베이컨은 그림을 그리는 과정 안에서 다양한 종류의 멈춤과 침묵을 취할 수 있는 듯하다. 예를 들자면 화재를 선택할 때, 즉 소리를 전송할 수 없는 매재(媒材)로 비명을 지르는 인물을 묘사하기로 결심했을 때 말이다. 아니면 그가 색을 사용하는 방식에서 찾아볼 수도 있다. 색 사용은 복잡한 문제지만 한 가지 측면, 이름하여 색의 가장자리들을 들여다보도록 하자. 이미 봤듯이, 화가로서의 그의 목표는 전달의 지루함 없이 감각을 부여하는 것이다. 그는 인간이 이야기를 갈망하는 존재이기 때문에 어디서든, 사실은 거의 어디서나 호시탐탐 솟아오르려는 서사를 쳐부수고자 한다. 임의의 두 인물 사이 또는 캔버스에 찍힌 임의의 두 흔적 사이에 슬쩍 이야기가 끼어드는 경향이 있다. 베이컨

* M. Peppiatt (1989), 53.
† F. Meltzer (2001), 124.

은 이런 경향을 침묵시키기 위해 색을 이용한다. 그는 자기 인물들의 가장자리까지 색을 끌어당긴다. 너무나 짙고 단조롭고 선명하고 정적인 색이라 그 안으로 들어가거나 그걸 의심하기는 불가능하다. 안에는 호기심을 말려버리는 황무지가 있다. 그는 언젠가 그림의 부분들 사이에 "사하라사막이나 사하라사막의 그 거리들"을 넣고 싶다고 말한 적이 있다.* 그의 색에는 배제와 가속 효과가 있어서 우리 시선이 머물지 않고 계속 움직이도록 만든다. 그것은 "여기서 얼쩡거리며 이야기 꾸며낼 생각 말고 그냥 사실에만 충실해"라고 얘기하는 하나의 방식이다. 이따금 그는 우리 시선의 속도를 더 높이고 이야기 꾸미기를 더 혹독하게 비난하기 위해 색 위에 흰 화살표를 그려 넣기도 한다. 이 화살표를 보면 서사의 무효화가 느껴진다. 그는 골프 설명서를 보다가 화살표를 떠올렸다고 한다.† 그걸 알고 나니 그가 그린 그림의 이야기를 이해하는 것이 더 가망 없게 느껴진다. 베이컨은 그런 희망을 북돋아주는 데는 아무 관심이 없다. "네가 말하는 음성에서는 어떤 냄새가 났는가?"라고 묻는 재판관들에게 "질문은 다음 토요일에"라고 대답했을 때의 잔 다르크도 그랬다. 잔이 질문과 대답의 통상적인 관계를 소멸시켰듯이, 베이컨은 인물과 배경의 통상적인 관계를, 그곳에 있던 통상적인 정보의 통행을 소멸시켰다. 그들은 클리셰에 정지 명령을 내렸다.

베이컨은 이 정지 신호를 다른 용어로 부른다. '선명함으로 선명함 파괴하기'‡다. 색 사용에서뿐만 아니라 구성이 담고 있는 전략 전체를 통해 그는 우리로 하여금 여태 시선을 두지 않았던 어떤 것을 보고 한 번도 귀 기울이지 않았던 어떤 것을 듣게 만들고자 한다. 그는 선명함 속으로 들어가 그 선명함이 동일하면서도 달라지는 더 깊은 갱신의 장소, 말이 제 존재 안에서 침묵하게 되는 말 내부에 있는 장소와 유사한 그곳까지 간다. 그리고 베이컨에게 그곳이 폭력의 장소라는 것은 주목할 만하다. 그는 대담 중에 폭력에 관한 얘기를 많이 한다. 폭력에 관한 질문을 많이 받기도 한다. 그와 대담자들은 그 단어를 같은 의미로 쓰지 않는다. 대담자들의 질문은 십자가형과 도살된 고기, 비틀림, 난도질, 투우, 유리 우리, 자살, 반인반수, 알아볼 수 없는 살점의 이미지들에 관한 것들이다. 그의 대답은 실재에 관한 것이다. 그는 폭력적인 상황을 설명하는 데는 관심이 없고 그런 자기 작품들을 '선정적'이라 폄하한다. 그는 선정적인 것이 아니라 감각을

* D. Sylvester (1987), 56.
† H. Davies (1975), 63.
‡ G. Deleuze (2003), 6.

전달하고 싶고, 공포가 아니라 비명을 그리고 싶다. 그리고 그는 비명을 지르는 인물이나 비명을 지를 만한 상황의 표면 밑 어딘가에 있는 본질로서의 비명을 이해한다. 비명을 지르는 교황에 관한 그의 습작을 작품에 영감을 준 그림, 벨라스케스의 〈교황 인노켄티우스 10세 초상화〉와 나란히 놓고 검토하면, 우리는 베이컨이 한 일이 벨라스케스가 그린 더할 나위 없이 불온한 남자의 이미지를 두 팔로 끌어안고 깊은 속에서 이미 울려 퍼지고 있는 비명을 뽑아내는 것이었음을 알 수 있다. 아무 보는 사람이 없을 때 먼 우주에서 블랙홀들이 한다고 얘기되는 일, 그는 소리 없이 관통하는 침묵을 품은 침묵의 그림을 만들었다. 다음은 베이컨이 데이비드 실베스터에게 한 말이다.

> 물감의 폭력을 얘기하자면, 전쟁의 폭력과는 아무 관련이 없습니다. 그건 현실의 폭력 자체 … 그리고 물감을 통해서만 전달될 수 있는 이미지 자체에 숨은 암시들의 폭력을 개조하려는 시도와 관련이 있지요. 제가 탁자 너머로 당신을 쳐다볼 때 저는 당신만 보는 게 아닙니다. 저는 인물에서 발산되는 온갖 에너지와 그 외의 모든 것 … 삶의 질 … 한 인물의 모든 맥박 … 표면 안에 든 에너지들을 봅니다. 그리고 그걸 그림을 통해 효과적으로 드러낸다는 것은 그것이 물감 속에서 폭력적으로 보이리라는 것을 의미하죠. 우리는 거의 언제나 숱한 가림막을 겪으며 살아갑니다. 가려진 존재죠. 그리고 사람들이 제 작품이 폭력적이라고 말할 때 가끔은 용케 내가 가림막 한두 개는 제거했구나 싶을 때가 있어요.*

베이컨은 우리가 가림막들을 겪으며 살아간다고 말한다. 가림막들은 무엇인가? 우리가 세상을 보는 정상적인 방식의 일부, 아니 그보다는 우리가 세상을 제대로 보지 않고서 세상을 보는 정상적인 방식의 일부일 것이다. 베이컨이 주장하는 바가 정말로 볼 줄 아는 사람이 보면 세상은 상당히 폭력적일 것이라는 점을, 그것도 서사적 표면이 폭력적이 아니라 어쩐지 표면 아래가 폭력적으로 구성된 듯하다는, 세상 자체가 폭력을 본질로 한다는 사실을 알아차릴 것이라는 점을 생각하면 말이다. 지금껏 블랙홀을 본 사람은 아무도 없지만 그래도 과학자들은 별의 중력 붕괴 속에서 그것의 실재를, 그 거대한 폭력을, 더없이 극적으로 '아무것도 없음'이기도 한 그 '무언가'를 특정할 수 있다고 자신한다. 하지만 이제 우

---

* D. Sylvester (1987), 82, 174-75; G. Deleuze (2003), 38-39.

리의 역사적 시선을 18세기 말엽 독일로 옮겨 자주색을 번역하려다가 자신만의 블랙홀 속으로 사라져버린 한 서정시인을 주목해보도록 하자.

자주색을 뜻하는 영어 단어 '퍼플(purple)'은 퍼플피시를 지시하는 그리스어 명사 '포르피라(porphyra)'에서 유래한 라틴어 단어 '푸르푸레우스(purpureus)'에서 유래한다. 고대에는 이 해양 연체동물, 정확하게는 자주삿갓조개 또는 뿔고둥에서 온갖 자주색과 빨간색 염료를 얻었다. 하지만 고대 그리스어에서 퍼플피시에는 또 다른 이름, 즉 '칼케(kalchē)'라는 이름이 있었는데, 이 단어에서 동사와 은유와 번역자들을 괴롭히는 골칫거리가 파생되었다. '퍼플피시를 찾다'라는 뜻의 동사 '칼카이네인(kalchainein)'은 요동치는 깊은 감정, 즉 불안으로 점점 음울해지기, 걱정으로 속 끓이기, 암울한 생각 품기, 마음속 깊이 골똘히 생각하기 같은 것들을 의미하게 되었다. 독일의 서정시인 프리드리히 횔덜린[3]이 1796년 소포클레스의 『안티고네』 번역에 착수했을 때 바로 첫 장에서 이 문제와 맞닥뜨렸다. 희곡은 고뇌하는 안티고네가 자매인 이스메네와 마주치는 장면으로 시작한다. "무슨 일이야?" 이스메네가 묻고는 문제의 자주 단어를 덧붙인다. "넌 어떤 소식을 듣고 마음이 어두워져 골똘히 생각에 잠긴(칼카이누스) 것이 틀림없어"(『안티고네』 20절). 이것이 그 대사의 표준적인 번역이다. 횔덜린의 번역문인 "Du scheinst ein rotes Wort zu färben"은 "너는 붉은 자주 단어를 칠하는 것 같아" 또는 "너는 네 말을 붉은 자주로 물들이는 것 같아" 정도의 뜻일 것이다. 치명적일 정도의 직해(直解)주의가 그답다. 그의 번역 방식은 원문의 모든 요소를 틀어잡고 문법적 구조와 단어 순서와 어휘의 느낌까지 정확하게 있는 그대로 독일어 구조에 비틀어 앉히는 것이었다. 그 결과로 나온 소포클레스 판본을 들고 괴테와 실러는 폭소를 터뜨렸다. 학구적인 비평가들은 천 개가 넘는 오역을 목록으로 정리했고 그 번역본을 손상된, 읽을 가치가 없는, 광인의 산물이라 불렀다. 정말로 1806년쯤에 횔덜린은 정신이상자로 공인되었다. 가족들이 그를 어느 정신병원에 맡겼는데, 일 년 후에 불치 판정을 받고 풀려났다. 그는 인생의 남은 37년을 네카어강이 바라다보이는 어느 탑 안에서 다양한 양상의 무관심 또는 무아경에 빠진 채 방 안을 오락가락 거닐며, 피아노를 치며, 종이쪽에 무언가를 끄적거리며, 기이한 방문객들을 맞으며 보냈다. 그러고는 1843년에 여전히 제정신이 아닌 채로 죽었다. 횔덜린의 소포클레스 번역문이 그가 정신 붕괴의 경계선상에 있었음을 보여준다고, 지적이면서 배배 꼬이고 발음도 제대로 할 수 없는 그 기묘함이 그런 정신적 상태 탓이라고 말하는 것은 클리

세다. 그래도 나는 광기와 번역의 관계가 정확하게 어떻게 되는지 궁금하다. 마음의 어디에서 번역이 일어나는가? 그리고 특정한 말들 안으로 추락하는 침묵이 있다면 언제, 어떻게, 어떤 폭력을 동반하고 일어날까? 그리고 그것은 우리의 정체성에 어떤 차이를 만들까?

번역자로서의 횔덜린, 화가로서의 베이컨, 그리고 신의 병사로서의 잔 다르크에 관한 그 문제에서 내가 충격을 받는 이유는 저마다의 재앙을 만들어내는 과정에 존재하는 고도의 자의식 때문이다. 횔덜린은 1796년에 소포클레스 번역에 몰두하기 시작했지만 1804년이 되어서야 『오이디푸스』와 『안티고네』를 출간했다. 첫 번역본들이 '충분히 생생하지(lebendig) 않다'라고 판단한 그는 수년간 강박적인 수정 작업을 거치며 이상한 문장을 더 이상한 문장으로 몰아갔다. 횔덜린을 연구하는 학자 데이비드 콘스턴틴은 그 분투를 이렇게 묘사한다.

> 그는 원문에 대한 고유한 이해뿐만 아니라 그것을 번역하는 자기 책무에 대한 자기만의 고유한 이해에 맞춰서도 원문을 뒤틀었다. … 늘 더 폭력적인 단어를 선택했고, 그래서 본문은 온통 과잉의 단어들로 수놓아지고 … 그는 또한 금방 자신을 경계까지 몰고 갈 자신의 심리 속에서 그 힘들의 목소리를 내고 있기도 했다. 그리고 그 힘들의 목소리를 발화함으로써 그 힘들을 돕고 부추기지 않았던가? 오래된 역설이다. 이런 것들을 잘 얘기하면 할수록, 시인은 자신을 위한 더욱더 효과적인 무기로 그것들을 휘두르게 된다. 그처럼 잘 표현되면, 그 힘들에 저항할 수 없지 않은가?*

적어도 이 폭력의 과정에는 저항할 방법이 없었다. 횔덜린이 이 시기에 자신의 초기 작품도 수정하기 시작했다는 사실, 같은 방식으로, 즉 완성된 시들을 샅샅이 뒤져 '충분히 생생하지 않은' 부분을 찾은 다음 자신의 내부에 말없이 놓인, 같은 독일어이긴 하지만 어딘지 뭔가 다른 언어로 번역했다는 사실은 주목할 만하다. 마치 단어들의 뚜껑을 뜯어내 팔을 쑤셔 넣으면서 어떤 선을 따라 움직이는 것처럼, 그는 반대쪽에서 다가오는 자신의 광기를 만났다.

* D. Constantine (2001), 8-11.

하지만 전적으로 우연한 만남은 아니었다. 일찍부터 횔덜린에게는 자신에 관한 이론이 있었다. 1798년, 친구인 루트비히 노이퍼에게 보낸 편지에 나와 있는데, 편지는 "지금 내 마음을 온통 사로잡고 있는 건 시에서의 생생함(lebendigkeit)이라네"라는 문장으로 시작하고는 이내 자기 존재의 균형에 관한 명쾌한 분석을 내놓는다.

> … 나는 다른 사람들보다 파괴되기 쉬우니까, 더더욱 내게 파괴적 효과를 가하는 것들로부터 이득을 볼 방안을 강구해야 하고, … 나는 먼저 없어서는 안 될 재료로, 없으면 내 가장 내밀한 존재 자체가 온전하게 존재할 수도 없는 재료로 그것을 받아들여야 하네. 나는 그것을 … 내 빛의 그림자로서 … 내 영혼의 목소리가 더욱 생생하게 튀어나올 수 있게 해주는 부수적인 목소리들로서 … 흡수하고 정렬해야 하네.*

다음은 1804년에 친구인 이자크 폰 싱클레어가 횔덜린의 어머니에게 보낸 편지의 한 구절이다.

> 저만이 아니라, 횔덜린을 만나보고 정신적 혼란처럼 보이는 것이 사실은 전혀 그런 것이 아니라 오히려 그가 매우 납득할 만한 이유로 신중하게 채택한, 자기 자신을 표현하는 방식이라고 확신한 사람이 저 말고도 여섯 또는 여덟은 됩니다.†

다음은 그의 소포클레스 번역문에 대한 1804년 서평의 한 구절이다.

> 여러분은 횔덜린의 소포클레스를 어떻게 판단하십니까? 저 사람은 미쳤을까요, 아니면 그냥 그런 체하는 걸까요, 아니면 그의 소프클레스가 형편없는 번역자들에 대한 숨은 풍자일까요?‡

어쩌면 횔덜린이 내내 미친 척하고 있었을 수도 있겠지만, 나는 모르겠다. 나를 매혹하는 것은 그가 어떤 의식 수준에서 자신의 재앙을 선택했든, 그것을 번역

* E. Santner (1990), xxix.
† D. Constantine (1988), 116-17, 381.
‡ A. Fioretos (1999), 277.

에서 추출된 하나의 방법론, 클리셰에 대한 분노로 인해 계획된 하나의 방법론으로 보는 것이다. 무엇보다 자신의 언어가 귀에 거슬리는 하나의 거대한 클리셰에 불과하다면 달리 무슨 방법이 있을까? 이미 말해지지 않은 것은 아무것도 없다. 이미 틀은 정해져 있다. 일찍이 아담이 모든 창조물에 이름을 붙였다. 실재는 사로잡혔다. 프랜시스 베이컨이 하얀 캔버스에 다가갈 때, 빈 표면은 이미 그 순간까지의 회화사 전체로 꽉 차 있고, 화가의 세계에는, 화가의 머릿속에는, 빈 표면에서 구현될 개연성 있는 모든 것은 이미 현존하는 모든 재현의 클리셰로 꽉 차 빈틈이 없다. 세상의 가림막들은 누구든 보리라 예상했던 것 말고는 뭐든 보기 힘들게 만들고, 이미 있는 것 말고는 뭐든 그리기 어렵게 만든다. 베이컨은 화가 특유의 기교를 써서 클리셰를 비껴가거나 속이는 것에 만족하지 않고, (질 들뢰즈가 베이컨에 관한 저서[4]에서 말하듯이) 바로 자기 캔버스 위에서 클리셰를 '재앙으로 만들고자' 한다. 그래서 그는 캔버스가 아직 하얀 처음과 캔버스가 반쯤 또는 완전히 그려진 나중 시점에 '자유 흔적'이라 부르는 것을 만든다. 붓이나 스펀지, 막대기, 헝겊, 손을 이용하거나, 아니면 그냥 물감통을 캔버스에 던지는 식이다. 그의 의도는 그림의 개연성을 무너뜨리고 붕괴를 일으키는 자신의 통제력에 단락(短絡)을 일으키는 것이다. 그의 산물은 재앙이다. 그러고 나면 그는 자신이 '실재'라 부를 수 있는 이미지로 조작하는 데로 나아갈 것이다. 아니면 그냥 거기서 중지해버릴 수도 있다.

> 데이비드 실베스터: 당신은 갑자기 그림에 뭔가를 집어 던지고는 완성하지 않은 채 그냥 두곤 하지요. 그렇지 않나요?
> 프랜시스 베이컨: 아, 맞습니다. 저 삼부작에서 세면기에 토하고 있는 인물의 어깨를 보시면, 그렇게 해서 생긴 흰 물감 자국이 있어요. 그러니까 저는 마지막 순간에 저런 짓을 하고는 그냥 내버려둔 거죠.*

자유 흔적들은 분노의 몸짓이다. 이 몸짓에 관해 우리가 알고 있는 가장 오래된 신화 중 하나는 에덴동산에서 있었던 아담과 이브의 이야기다. 이브는 울대뼈에 자유 흔적을 남김으로써 인간의 역사를 바꾼다. 이브는 왜 그런 짓을 했을까? 뱀의 유혹에 넘어갔다거나 절대적 지식을 갈망했다거나 불멸을 추구했다는 것이 가능한 답변들이다. 반대로, 어쩌면 이브는 '재앙 만들기'를 하고 있었는지도

* D. Sylvester (1987), 94.

모른다. 아담은 막 최초의 이름 붙이기 행위를 수행하며 무방비하고 무의미하고 아무 뜻도 방향도 없는 실재의 광기 위에 누구도 제거하거나 제거하고 싶어하지 않을 한 벌의 클리셰를 적용하는 첫발을 내디뎠고, 그 클리셰들이 바로 우리 인간의 역사, 우리 사고의 체계, 혼돈에 대한 우리의 대답이다. 이브의 본능은 이 대답을 물어뜯어 두 동강 내는 것이었다.

혼돈과 호명(呼名), 재앙과 클리셰 중에서 선택해야 한다면 우리 대부분은 호명을 선택할 것이다. 우리 대부분은 이를 제로섬 게임으로, 존재할 제삼의 장소는 없는 듯이 생각한다. 이름이 없는 것은 일반적으로 존재하지 않는 것으로 여겨진다. 그리고 그 지점이 우리가 번역될 수 없는 것들의 자비심을 알아볼 수 있을지도 모르는 곳이다. 번역은 실질적 행위이거나 전략이거나 횔덜린이 '마음의 건전한 체조'*라 부른 것이고, 우리에게 존재할 제삼의 장소를 주지 않는 듯이 보인다. 우리는 스스로 그치는 말의 존재 속에서, 그 침묵 안에서, 무언가가 우리를 지나쳐 계속 가고 있다는, 어떤 잠재성이 풀려났다는 느낌을 받는다. 횔덜린에게, 잔 다르크에게 그랬듯이, 이것은 종교적 이해이며 신들에게로 이어진다. 프랜시스 베이컨은 신들을 믿지 않지만 렘브란트와 심원한 관계를 맺고 있다.

그가 제일 좋아하는 그림 중에 렘브란트가 그린 자화상이 있다. 여러 대담에서 그런 언급이 나온다. 그가 그 자화상에서 좋아하는 점이라고 든 것은 가까이 가서 보면 그림에 눈구멍이 거의 없다시피 한 것을 알 수 있다는 점이었다.† 아마도 적절한 일이겠지만, 나는 그 초상화의 그럴듯한 복제화를 찾을 수가 없었다. 그 초상화는 렘브란트 후기의 다른 그림들처럼 색조가 어둡지만 눈구멍 없는 눈에서 발산되는 기이한 힘을 지니고 있다. 그건 멀어버린 눈이 아니다. 그 눈은 열정적으로 보는 중이지만 일반적인 방식으로 조직된 보기는 아니다. 보는 행위가 그림 '뒤에서' 렘브란트의 눈으로 들어오고 있는 듯하다. 그리고 그의 시선이 앞으로, 우리 쪽으로 보내고 있는 것은 깊은 침묵이다. 차라리 "음성은 어떤 언어로 말하는가?"라는 재판관들의 물음에 잔 다르크가 답했을 때 틀림없이 뒤따랐을 침묵과 같은 것이리라. 그때 그녀는 이렇게 답했다.

---

* D. Constantine (2001), 7.
† D. Sylvester (1987), 56-59; G. Deleuze (2003), 25.

'당신들 것보다 나은 언어.'

아니면 번역될 수 없는 것의 마지막에서 두 번째 사례가 될 파울 첼란[5] 시의 마지막 구절을 덮은 침묵과 같든가. 이 시는 횔덜린을 찬미하며 쓴 시인데, 횔덜린이 제정신이 아니었던, 또는 그런 척했던 생의 마지막 37년 동안 간간이 입에 올렸던 사적 언어를 참고한다. 이 시는 눈멂을 향한 움직임으로 시작하지만 저만의 파멸적인 작은 세상을 완벽하게 잘 보고 있는 듯한 눈구멍 없는 두 개의 눈으로 끝난다.

Tübingen, Jänner
Zur Blindheit über
redete Augen.
Ihre – "ein
Ratsel ist Rein-
entsprungenes" –, ihre
Erinnerung an
schwimmende Hölderlintürme möwen-
umschwirrt.

Besuche ertrunkener Schreiner bei
diesen
tauschenden Worten.

Käme,
käme ein Mensch,
käme ein Mensch zur Welt heute, mit
den Lichtbart der
Patriarchen: er dürfte,
spräch er von dieser
Zeit, er
dürfte
nur lallen und lallen,

immer-, immer-

zuzu.

("Pallaksch. Pallaksch.")

튀빙겐, 일월

거듭 눈멀라는 애기를

듣는 두 눈.

그들의 – "수수께끼는

순수한

기원" – , 그들의

갈매기 휠휠돌던

물에 비친 휠덜린탑의

기억.

가라앉은 단어들을

교체하려는 목수들의 방문.

온다면,

한 사람이 온다면,

오늘, 한 사람이 예언자의

빛수염을 달고

세상에 온다면, 고작해야,

이번에는 말을

한다 해도,

고작해야

우물거리고 또 우물거릴 수 있을 뿐

또 – , 또 –

자꾸자꾸.

("팔락슈. 팔락슈.")

이 시는 곤혹스럽다. 시작과 끝에 나오는 수수께끼에 초점을 맞춰보자. 시작에는 라인강에 바치는 송가인 횔덜린의 「라인강」에서 따온 구절이 있다. "수수께끼는 순수한 기원"이라는 문장은 '수수께끼로서의 기원 또는 기원으로서의 수수께끼'처럼 앞으로도 뒤로도 읽힐 수 있는 문장이다. 누구의 기원인지, 또는 누구의 수수께끼인지는 정확하게 얘기되지 않는다. 이 시의 중심 효과는 가정법 형태로 길게 이어지는 하나의 조건문인데, 우리가 사는 시대를 얘기하는 언어의 무력함을 비탄하는 듯하다. 이 불충분에 저항하기로 결심한 사람, 예언자 또는 시인은 고작해야 같은 말을 자꾸자꾸 우물거리는 처지가 될 것이다. 아니 어쩌면 말이라고 할 수도 없는 뭔가를 우물거리는 더 하찮은 처지가 될지도 모른다.

횔덜린을 만나러 탑을 방문했던 사람들에 따르면, 그는 '팔락슈(Pallaksch)'라는 단어를 만들어서 어떤 때는 '예'의 의미로, 어떤 때는 '아니요'의 의미로 사용했다. 어떤 의미에서는 매우 유용한 단어였다. 시인들은 신조어든 이상한 방식으로 새로 배치한 오래된 단어든 유용한 단어를 만들어내기 좋아한다. 물론 언어적 발명에는 위험이 따른다. 하나의 수수께끼로 이해되면서 또 순수한 기원의 문제를 제기하기 때문이다. 라인강의 수원을 찾아내거나 렘브란트의 눈에서 눈구멍을 보거나 신들의 용어인 '몰리'의 의미를 알아내기보다 그것의 참뜻을 살펴보기가 더 어렵다. "팔락슈 팔락슈"는 자체의 계기로 유효해야 하고, 번역할 수 없는 상태로 남아야 한다. 파울 첼란은 마치 이 침묵으로 자기 시의 문을 닫듯이 이 단어를 괄호 안에 위치시킨다.

요약해보자. 솔직하게 말해서, 나는 요약을 아주 잘하는 편은 아니다. 내가 할 수 있는 최선은 최후의 흰 물감 투척뿐이다. 고전학자로서 나는 정확성을 얻기 위해 분투하도록, 그리고 우리에게 한 치의 예외도 없는, 세계에 대한 엄밀한 지식이 가능함을 믿도록 단련되었다. 이 예외, 존재하지 않는 이 예외, 생각만으로도 나는 상쾌해진다. 그 위치, 그것이 어떻게 그 위치를 흠뻑 물에 젖은 '아무것도 없음'의 층들과 공유하는지를 생각하면, 그 그림자, 아무것도 없음이 드리우는, 속에 아무 죽음도 없는(또는 아주 적은 죽음이 있는) 그 그림자를 생각하면 … 생각만 해도 자유로워지는 듯한 느낌이다. 이런 식으로 생각해보자. 여기 연습 문제가 있다. 딱히 번역 연습 문제는 아니지만 그렇다고 번역 연습 문제가 아닌 것도 아닌 것이, 그보다는 오히려 번역을 재앙으로 만드는 것에 가깝다. 고대 그리스 서사시의 작은 조각을 가져다 잘못된 단어들을 사용하여 번역하고 또 번역해보는 것이다. 일종의 우물거림이다.

소년에 대한 사랑과 소녀에 대한 사랑, 형용사와 부사뿐만 아니라 보편적인 비관주의에 대한 사랑으로 유명한 서정시인 이비코스는 기원전 6세기에 자신의 에로스 경험에 관하여 다음의 시를 지었다. 그는 다른 사람들이 좀 더 신중하거나 주기적인 반응을 즐기는 데 반해 자신은 에로스적 욕구 때문에 영원히 황폐해졌다고 주장한다.

한편, 봄에는
키도니아의 사과나무들,
손대지 않은 처녀들의 정원 [있는]
강줄기에서 물을 마시고
그늘 무성한 포도 넝쿨 아래
부푸는
포도꽃
핀다.
다른 한편, 내게는
에로스가 누워 있다 계절도 없이 조용히
아니 그보다,
속을 바짝 태우는 광기를 동반하고
아프로디테로부터 몰아치는
검은,
놀랄 것 없는,
강력하게,
내 발바닥에서 솟아오르는
번개로 불타는,
트라키아의 북풍처럼
[그것은] 숨 쉬는 내 존재 전부를 뒤흔든다.

(이비코스, 286번 시의 일부,

『포이타이 멜리키 그라이키(Poetae Melici Graeci)』)

한편, 여성에게는
변심과 허위로 인해 의도된
저 계약들,

연인들의 이미지(그 인물들이 우리였다는 건 맹세코 부인하고),

그리고 진정한 결혼 아래

잠자는

진정한 죽음이

앞선다.

다른 한편, 나

그대의 맹세는 정복되지 않았다.

아니 그보다는,

지금은 다투는,

지금은 피하는,

사랑과 그의 격노를 동반한,

저 새로 제조된 내일처럼,

실로,

실은 아니게,

내가 만약,

내가 할 수 있다면,

(그것은) 내 한 번의 미치광이 같은 탈출 전부를 정당화한다.

(이비코스, 286번 시의 일부,

존 던[6]의 시「여성의 지조」에 나오는 단어들을 써서 번역)

한편, 유명한 공산주의자들이 참석한 칵테일파티에서는

적절하게도 베르톨트 브레히트 부처(夫妻)로 바뀌 얘기되는,

십 년 망명 생활의 흔적이 남은

그 주제

그리고 복사된 다섯 부의 100-190707번[7] 문서 아래

갈릴레오로 무대로 복귀한

찰스 로턴[8]

엘리베이터를 탄다.

다른 한편, 가운데에 하이픈이 들어간 유진 프리드리히라는 내 이름으로는

FBI 기록이 없다.

아니 그보다는,

찰스 로턴이 꾸러미를 전달했을 어느 프랑스인의 이름처럼,

정체를 알 수 없는 한 남자에게 말하는
정체를 알 수 없는 한 여자를 대동하고,
또는 정체를 알 수 없는 한 여자에게 말하는
정체를 알 수 없는 한 남자를 대동하고,
그리고 모든 캡션이 맞지 않을 시,
307쪽을 보라.

> (이비코스, 286번 시의 일부, 베르톨트 브레히트의 FBI 문서 번호
> 100‒67077번에 나오는 단어들을 써서 번역)

한편, 당신의 주방에는
생각의 악취를 풍기기 시작하는
선명한 시체들
거기 내 한 다리가 (있고)
그리고 조만간 그 아래
온 우주가
안 울리고 안 돌아갈 것이다.
다른 한편, 나는 그렇게 생각해서는 안 되지.
아니 그보다는,
허공에 뜬 작은 점처럼,
왔다 갔다 서성거리며,
놀람을 대동한 채,
솔직하게,
노하여,
성급하게,
그다지 확신하지 못한 채,
(그것이) 내게 작별 키스를 한다. 나는 죽었다. (일시 정지.)

> (이비코스, 286번 시의 일부, 사뮈엘 베케트의
> 『엔드게임』 47쪽에 나오는 단어들을 써서 번역)

한편, 결국에는 우리 뒤 계산대에 앉은 저 모든 이,
유례를 찾아볼 수 없을 정도로 파괴적이고 절망적인 반란에 가담해,
거기 인간적인 모든 것이 (배반당했고)

그리고
존재의 부담 아래
뭐라 정의하기 어려운 상냥한 미소를 띤 채
재고(在庫)가 말을 하고
의심을 일깨운다.
다른 한편,
겁이 나는 사람은 숲에 들어가지 말아야 한다.
아니 그보다는,
현대식 군대들처럼,
체코어나 독일어로 가볍게 얘기되는 구문들을 대동하고,
두려움 없이,
끈질기게,
불행하게,
나 자신에 대해,
나 자신의 한계와 냉담함에 대해,
내가 앉아 있는 바로 이 책상과 의자에 대해,
죄목은 명확하고, 사람은 사형이 아니라 생형(生刑) 선고를 받는다.

(이비코스, 286번 시의 일부, 구스타프 야누흐[9]의

『카프카와의 대화』 136~137쪽에 나온 단어들을 써서 번역)

한편, 과승(過乘)요금 창구에서 왕의 제빵사들,
새 코끼리들을 위해 늙은 양치기들을 팽개치고
거기 동과 서가 (북과 교차하고)
그리고 교회에서 짖는 것이 금지된 검은 탁발 수도사들 아래
천사들이
틈을 조심한다.
다른 한편,
자유탑승권은 나를 중간 지점인 서더크로 보내주지 않는다.
아니 그보다는, 대영박물관에서
벌금을 대동하고
정원을 가꾸는 일곱 자매처럼,
투팅하는(tooting),

턴파이크된(turnpiked),

해크니된(hackneyed),

켄트하는(kentish),

콕포스터된(cockfostered),

나는 변소로 가는 길 내내 지체를 예상하라는 안내를 받는다.

(이비코스, 286번 시의 일부, 런던 지하철 역명과 안내를 써서 번역)

한편, 뜨거운 간식과 애피타이저에는 간장이나 바비큐 또는 우스터셔 또는

　　스테이크 소스,

파프리카가 흩뿌려진,

거기 '가무잡잡한 외양'이 (바람직하고)

그리고 전자레인지 마그네트론 튜브 아래

푹 젖은 크래커들,

베이컨에 말린 채,

단단해진다. 다른 한편, 꽁꽁 언 팬케이크는

딱딱해지지 않을 것이다.

아니 그보다는,

전자파처럼,

부글거리는,

첨벙거리는,

두 손을 비비는 당신을 대동하고,

비닐랩에 구멍 내는 일 없이,

중간에 조각들의 위치를 바꿔주는 일 없이,

전자레인지 전용 팝콘 냄비를 사용하는 일 없이,

(그것은) 당장에 당신 코를 태울 것이다.

(이비코스, 286번 시의 일부, 새로 구입한 에머슨사의 1,000와트짜리
전자레인지 사용설명서 17~18쪽에 나오는 단어들을 써서 번역)

참고 도서

Archimbaud, Michel. *Francis Bacon: In Conversation with Michel Archimbaud*. London: Phaidon Press, 1993.

Blanchot, Maurice. *Le Part du feu*. Paris: Gallimard, 1949.

Constantine, David. *Hölderlin*. Oxford: Oxford University Press, 1988.

————, trans. *Hölderlin's Sophocles: Oedipus and Antigone*. Tarset: Bloodaxe, 2001.

Davies, Hugh M. "Bacon's 'Black' Triptychs." *Art in America* 63, no. 2 (March–April 1975): 62–68.

Deleuze, Gilles. *Francis Bacon: The logic of sensation*. Translated by Daniel W. Smith. London: Continuum, 2003.
(질 들뢰즈,『감각의 논리』, 하태완 옮김, 민음사, 2008.)

Domino, Christophe. *Francis Bacon: Painter of a Dark Vision*. Translated by Ruth Sharman. London: Harry Abrams, 1997.

Fioretos, Aris. *The Solid Letter: Readings of Friedrich Hölderlin*. Stanford: Stanford University Press, 1999.

Hölderlin, Friedrich. *Sämtlicher Werke: Historisch-kritische Ausgabe*. Edited by Dietrich E. Sattler. Frankfurt am Main: Stroemfeld/Roter Stern, 1975–2008.

————, *Hymns and Fragments*. Translated by Richard Sieburth. Princeton: Princeton University Press, 1984.

Meltzer, Françoise. *For Fear of the Fire*. Chicago: University of Chicago Press, 2001.

Peppiatt, Michael. "An Interview with Francis Bacon: Provoking Accidents, Prompting Chance." *Art International* 8 (Autumn 1989): 43–57.

Page, Denys, ed. *Poetae Melici Graeci*. Oxford: Oxford University Press, 1962.

Pfau, Thomas. *Friedrich Hölderlin: Essays and Letters on Theory*. Albany: SUNY Press, 1988.

Russell, John. *Francis Bacon*. London: Thames & Hudson, 1971.

Santner, Eric. *Friedrich Hölderlin: Hyperion and Selected Poems*. New York: The Continuum Publishing Company, 1990.

Sylvester, David. *The Brutality of Fact: Interviews with Francis Bacon*. 3rd ed. London: Thames & Hudson, 1987.
(데이비드 실베스테,『나는 왜 정육점의 고기가 아닌가?』, 주은정 옮김, 디자인하우스, 2015.)

Warner, Marina. *Joan of Arc: The Image of Female Heroism*. New York: Vintage Books, 1981.

Woolf, Virginia. *To the Lighthouse*. New York: Harcourt, Brace & World, Inc., 1927.
(버지니아 울프,『등대로』.)

¹ 영국 화가 프랜시스 베이컨(Francis Bacon, 1909~1992)은 벨라스케스의 1650년 작품 〈교황 인노켄티우스 10세 초상화〉에서 영감을 받아 '비명을 지르는 교황의 초상화' 시리즈를 1949년부터 1970년대까지 그렸다.

² 국내에『나는 왜 정육점의 고기가 아닌가?』(주은정 옮김, 디자인하우스, 2015)로 출간되었다.

³ 프리드리히 횔덜린(Friedrich Hölderlin, 1770~1843)은 독일의 시인으로 튀빙겐대학교에서 신학과 철학을 공부할 때 같은 기숙사 방을 쓴 인연으로 헤겔과 셸링과 절친한 사이가 되었다. 천재적인 시인으로 독일 시의 정점을 이뤘다는 평을 받았으나 서른 초반에 정신착란을 일으켜 40년 가까이 탑 위의 방에 갇혀 살다 세상을 떠났다. 사후에야 시집이 출간되었으나 20세기 들어 재조명되면서 현대 서정시의 선구자로 인정받고 있다.

⁴『감각의 논리』를 말한다.

⁵ 파울 첼란(Paul Celan, 1920~1970)은 루마니아 왕국 태생의 시인이자 번역가로 20세기 후반 독일어 문화권에서 가장 중요한 시인으로 일컬어진다. 프랑스에서 의학을 공부하던 중 전쟁 발발로 귀향한 뒤 강제수용소에 수용되기도 했다. 오스트리아 빈으로 피신하여 잉게보르크 바흐만과 교분을 쌓으며 첫 시집을 펴냈다. 1948년 파리로 이동하여 1955년에 프랑스 시민권을 얻었다. 주로 번역으로 생계를 꾸리며 꾸준하게 시집을 펴냈다. 1970년 4월 센강에서 익사했다.

⁶ 존 던(John Donne, 1572~1631)은 영국의 시인이자 성직자다. 뛰어난 종교시라고 평가받는『신성 소네트』와 사랑의 온갖 심리를 대담하고 치밀한 이미지를 구사하여 그린 연애시『노래와 소네트』로 유명하다.

⁷ 베르톨트 브레히트를 사찰했던 미 FBI의 브레히트 문서 번호. 브레히트는 나치가 집권하고 본격적으로 좌파 탄압에 나서자 1933년에 독일을 떠나 미국으로 망명했다가 제2차 세계대전 이후 미국 전역에 매카시즘 광풍이 불자 다시 동독으로 이주했다.

⁸ 찰스 로턴(Charles Laughton, 1899~1962)은 영국의 배우로 1926년부터 무대에 서기 시작했으며 셰익스피어 작품들로 두각을 나타냈다. 미국 브로드웨이 연극무대에 진출했다가 할리우드와 인연을 맺어 당대 최고의 영화배우로 인정받았다. 말년에는 연극연출가와 영화감독으로 활약하기도 했다. 1947년 로스앤젤레스와 뉴욕에서 상연된 베르톨트 브레히트의 희곡『갈릴레오』에서 갈릴레오 역을 맡아 연기했다.

⁹ 구스타프 야누흐(Gustav Janouch, 1903~1968)는 체코의 작가이자 번역가다. 1929년 카프카의 산문「꿈」을 체코어로 번역해 출판했고, 그 후 카프카와 맺은 개인적 친분을 바탕으로『카프카와의 대화』와『프란츠 카프카와 그의 세계』를 저술했다.